CW00872173

ROSCO EN ROLLY, DE CIRCUSHONDEN

Rosco en Rolly, de Circushonden

Tekst door ***Tuula Pere***
Illustraties door ***Francesco Orazzini***
Vormgeving door ***Peter Stone***
In het Nederlands vertaald door ***Mariken van Eekelen***

ISBN 978-952-325-612-5 (Hardcover)
ISBN 978-952-325-568-5 (Softcover)
ISBN 978-952-325-070-3 (ePub)
Eerste druk

Gepubliceerd in 2021 door Wickwick Ltd
Helsinki, Finland

Circus Dogs Roscoe and Rolly, Dutch Translation

Story by ***Tuula Pere***
Illustrations by ***Francesco Orazzini***
Layout by ***Peter Stone***
Dutch translation by ***Mariken van Eekelen***

ISBN 978-952-325-612-5 (Hardcover)
ISBN 978-952-325-568-5 (Softcover)
ISBN 978-952-325-070-3 (ePub)
First edition

Published 2021 by Wickwick Ltd
Helsinki, Finland

Originally published in Finland by Wickwick Ltd in 2015
Finnish "Sirkuskoirat Roope ja Rops", ISBN 978-952-325-058-1 (Hardcover), ISBN 978-952-325-558-6 (ePub)
English "Circus Dogs Roscoe and Rolly", ISBN 978-952-325-057-4 (Hardcover), ISBN 978-952-325-557-9 (ePub)

DUTCH EDITION

Rosco en Rolly de Circushonden

Tuula Pere • Francesco Orazzini

WickWick
Children's Books from the Heart

Rosco, een oude circushond, gluurde tussen de gordijnen door naar de fel verlichte tribunes. The banken waren gevuld met een vrolijke menigte, die ongeduldig wachtte op het begin van de voorstelling.

Rosco was blij dat er veel kinderen in het publiek zaten. De oude hond liet het liefst zijn kunstjes aan de kleintjes zien. Ondanks zijn leeftijd vond hij het nog steeds leuk om op te treden. Wat zijn leven nog leuker maakte was dat hij nu een kleine leerling had, een puppy met de naam Rolly.

En daar was Rolly ook. Ze snuffelde de opwinding in de lucht en kwispelde met haar kleine staartje.

Rosco en Rolly waren een fantastisch paar. Beetje bij beetje hadden ze kunstjes met elkaar gedeeld. Rolly, die parmantig en levendig was, had de kunstjes op zich genomen waarvoor je behendig moest zijn. Nu was zij degene die over de hoge balken balanceerde en die door brandende hoepels sprong.

Oude Rosco was blij dat hij zich nu kon richten op de rustigere kunstjes, vooral degene waarbij hij lekker op een kussen kon zitten en met zacht geblaf antwoord op vragen kon geven. Rosco was nog steeds goed met getallen.

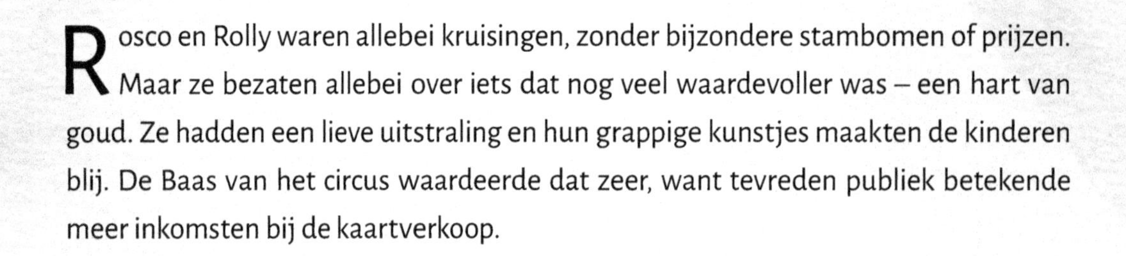

Rosco en Rolly waren allebei kruisingen, zonder bijzondere stambomen of prijzen. Maar ze bezaten allebei over iets dat nog veel waardevoller was – een hart van goud. Ze hadden een lieve uitstraling en hun grappige kunstjes maakten de kinderen blij. De Baas van het circus waardeerde dat zeer, want tevreden publiek betekende meer inkomsten bij de kaartverkoop.

Rosco wist dat de Baas een vriendelijke man was, maar toch ook een beetje een gierigaard. Iedereen die bij het circus in dienst was moest hard werken voor zijn geld.

“Niemand wordt betaald om niets te doen,” zei de Baas regelmatig.

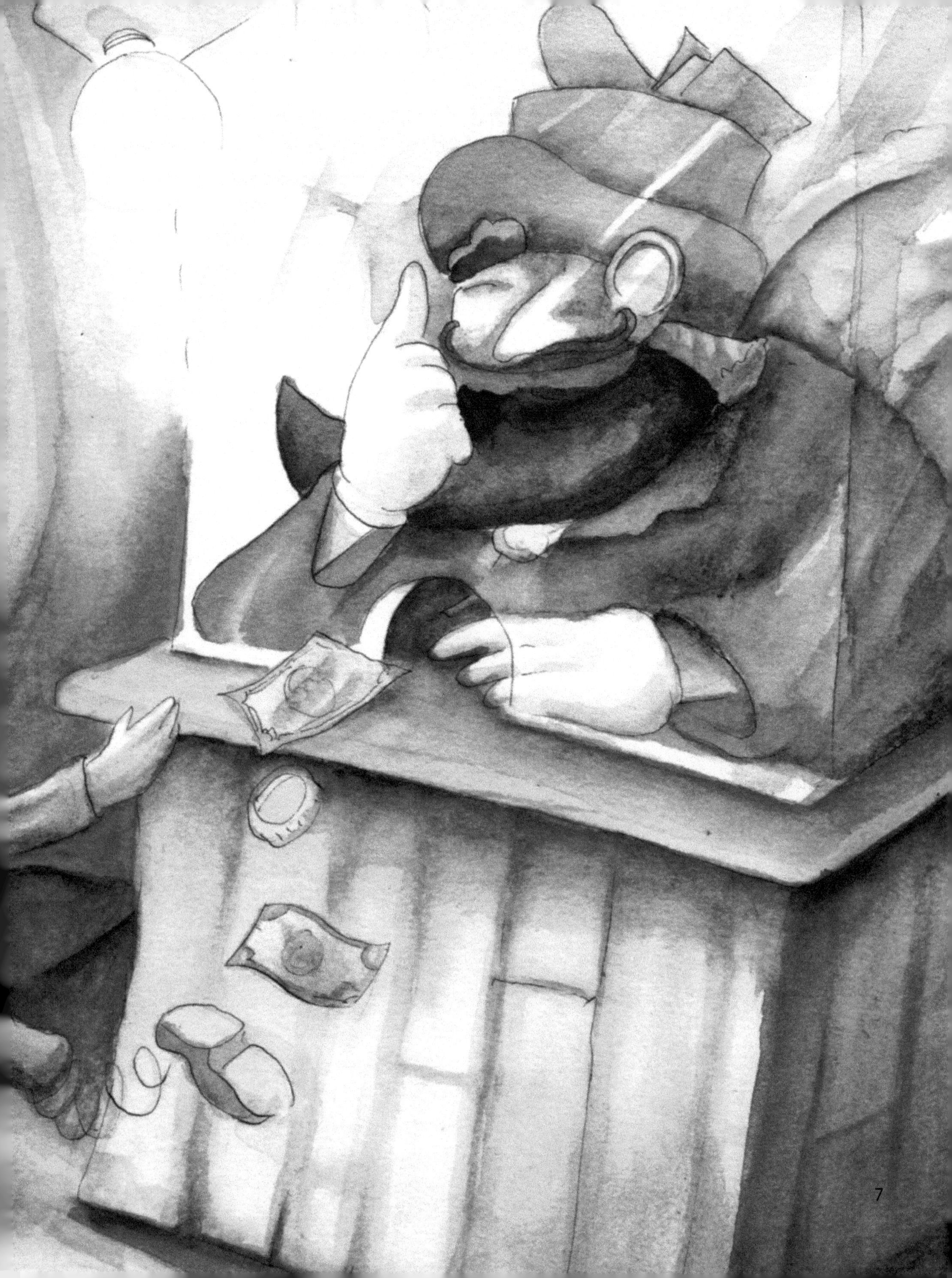

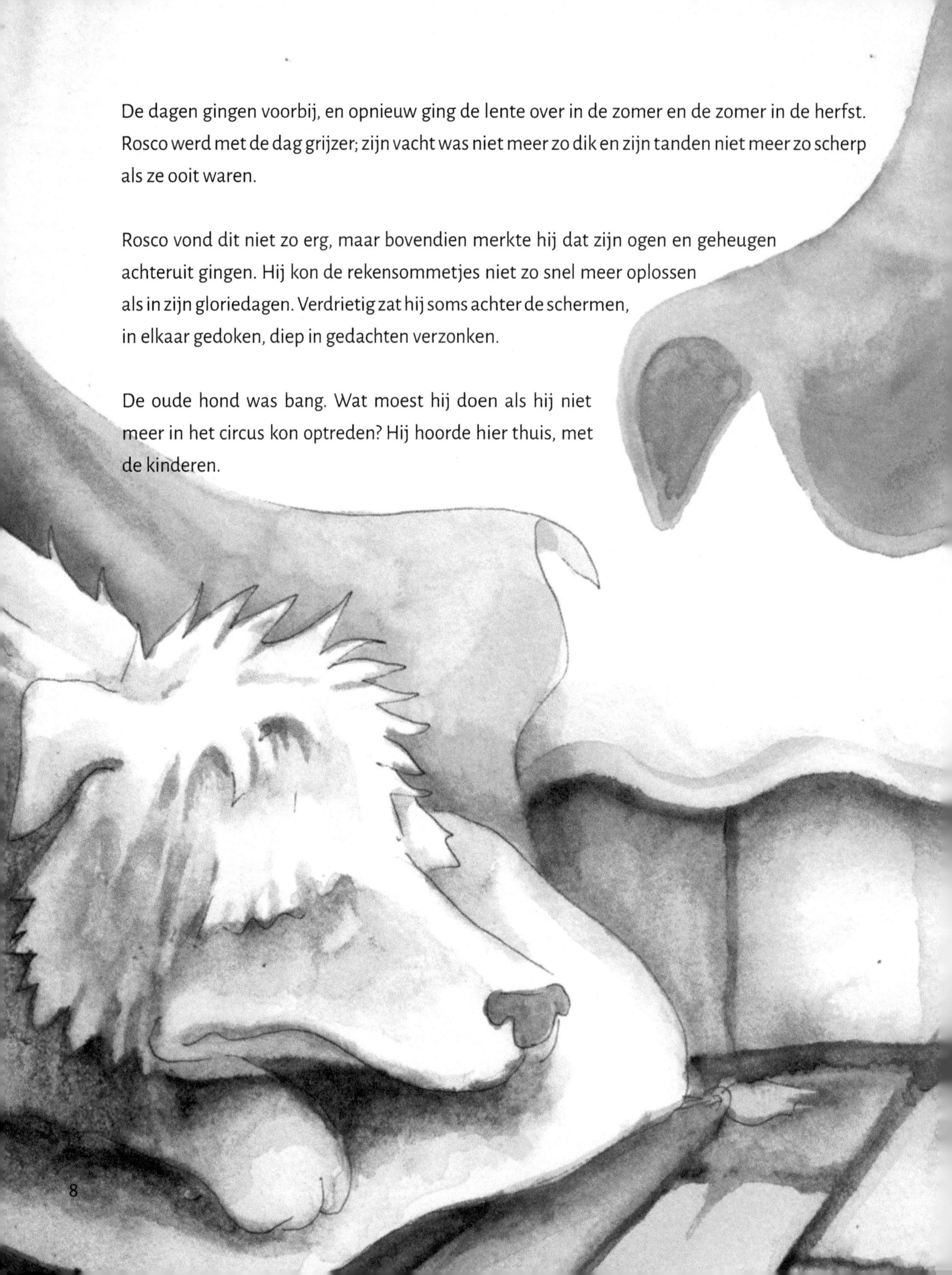

De dagen gingen voorbij, en opnieuw ging de lente over in de zomer en de zomer in de herfst. Rosco werd met de dag grijzer; zijn vacht was niet meer zo dik en zijn tanden niet meer zo scherp als ze ooit waren.

Rosco vond dit niet zo erg, maar bovendien merkte hij dat zijn ogen en geheugen achteruit gingen. Hij kon de rekensommetjes niet zo snel meer oplossen als in zijn gloriedagen. Verdrietig zat hij soms achter de schermen, in elkaar gedoken, diep in gedachten verzonken.

De oude hond was bang. Wat moest hij doen als hij niet meer in het circus kon optreden? Hij hoorde hier thuis, met de kinderen.

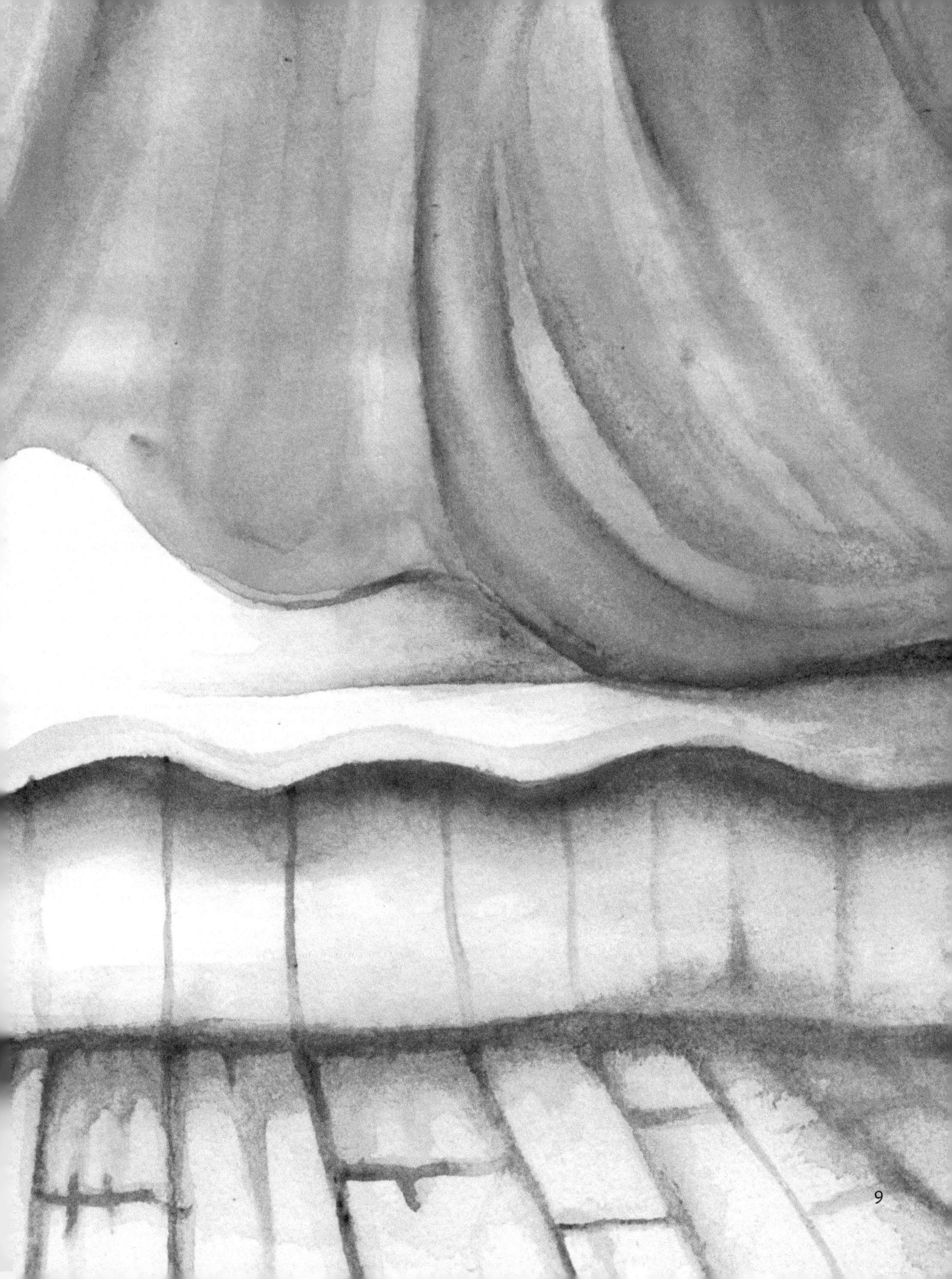

Gelukkig had Rosco de levendige kleine pup Rolly om hem te helpen. Ze was hard op weg een geweldige kameraad te worden in de shows. De jonge Rolly had nog wel steeds de steun nodig van een ervaren partner.

Rolly leerde snel en was van nature pittig. Maar soms kon je aan de houding van haar oren en staart zien dat ze nerveus was om de ring in te stappen. Wanneer dit gebeurde was het goed dat de oude en kalme Rosco er was om advies te geven.

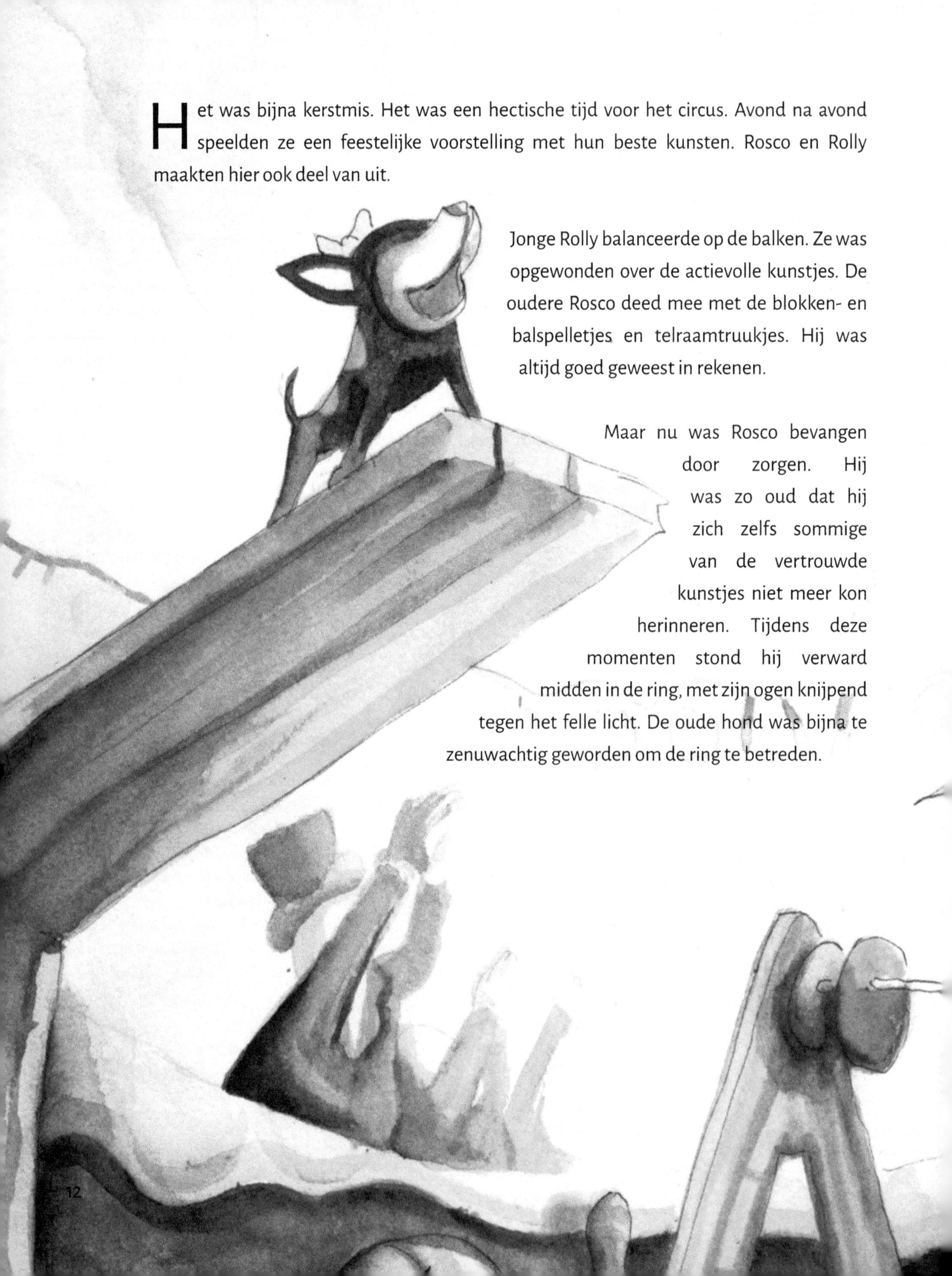

Het was bijna kerstmis. Het was een hectische tijd voor het circus. Avond na avond speelden ze een feestelijke voorstelling met hun beste kunsten. Rosco en Rolly maakten hier ook deel van uit.

Jonge Rolly balanceerde op de balken. Ze was opgewonden over de actievolle kunstjes. De oudere Rosco deed mee met de blokken- en balspelletjes en telraamtruukjes. Hij was altijd goed geweest in rekenen.

Maar nu was Rosco bevangen door zorgen. Hij was zo oud dat hij zich zelfs sommige van de vertrouwde kunstjes niet meer kon herinneren. Tijdens deze momenten stond hij verward midden in de ring, met zijn ogen knijpend tegen het felle licht. De oude hond was bijna te zenuwachtig geworden om de ring te betreden.

Rosco was weer aan de beurt. Hij begon zijn bravoure act, hoofdrekenen. Meestal hoefde hij over de getallen niet eens na te denken. Maar toen gebeurde er iets verdrietigs.

De hondentrainer gaf Rosco in hoog tempo de ene rekensom na de andere. De eerste paar sommen loste hij op zonder problemen. Rosco gaf de juiste antwoorden door te blaffen of door de juiste getallen op te halen. Het publiek beloonde hem met veel applaus. Maar toen ging alles mis.

Rosco's hoofd was als een draaimolen, waar de vragen wild in het rond draaiden, maar de juiste antwoorden waren nergens te vinden. Beschaamd rende Rosco uiteindelijk weg uit de ring, Rolly achterlatend om de act in haar eentje af te maken.

De show kwam ten einde en het publiek vertrok uit de tent. De oude Rosco had zichzelf uit de voeten gemaakt na zijn mislukte optreden. Rolly begon zich zorgen te maken toen ze haar vriend nergens kon vinden.

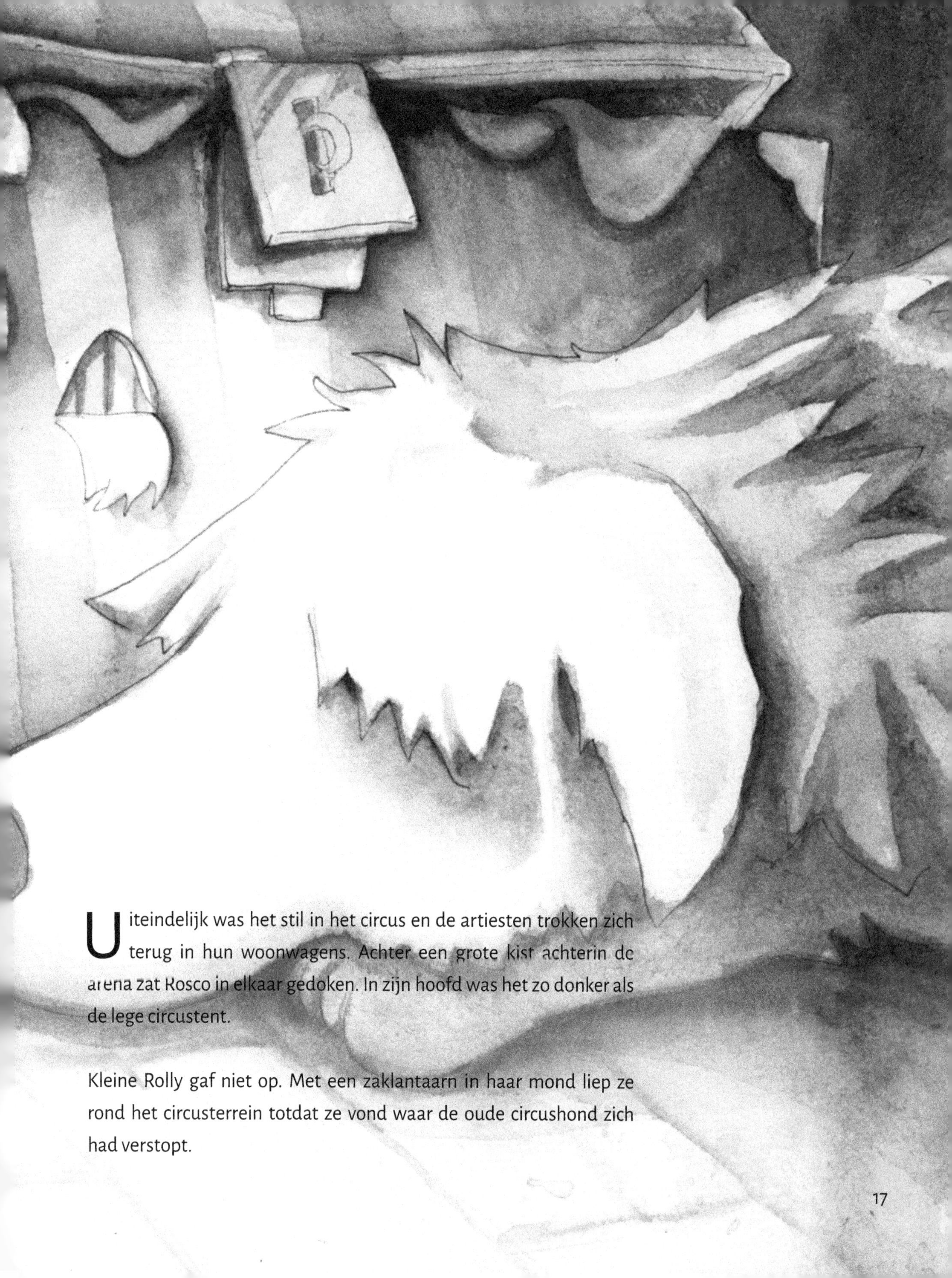

Uiteindelijk was het stil in het circus en de artiesten trokken zich terug in hun woonwagens. Achter een grote kist achterin de arena zat Rosco in elkaar gedoken. In zijn hoofd was het zo donker als de lege circustent.

Kleine Rolly gaf niet op. Met een zaklantaarn in haar mond liep ze rond het circusterrein totdat ze vond waar de oude circushond zich had verstopt.

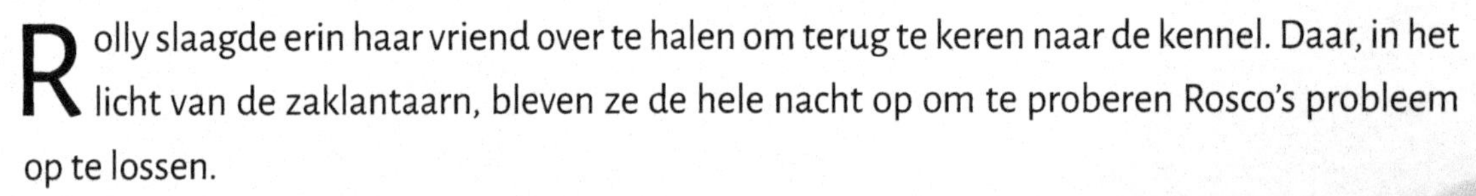

Rolly slaagde erin haar vriend over te halen om terug te keren naar de kennel. Daar, in het licht van de zaklantaarn, bleven ze de hele nacht op om te proberen Rosco's probleem op te lossen.

"Ik kan geen nieuwe kunstjes leren en de oude kan ik niet eens meer onthouden," zuchtte Rosco, verslagen.

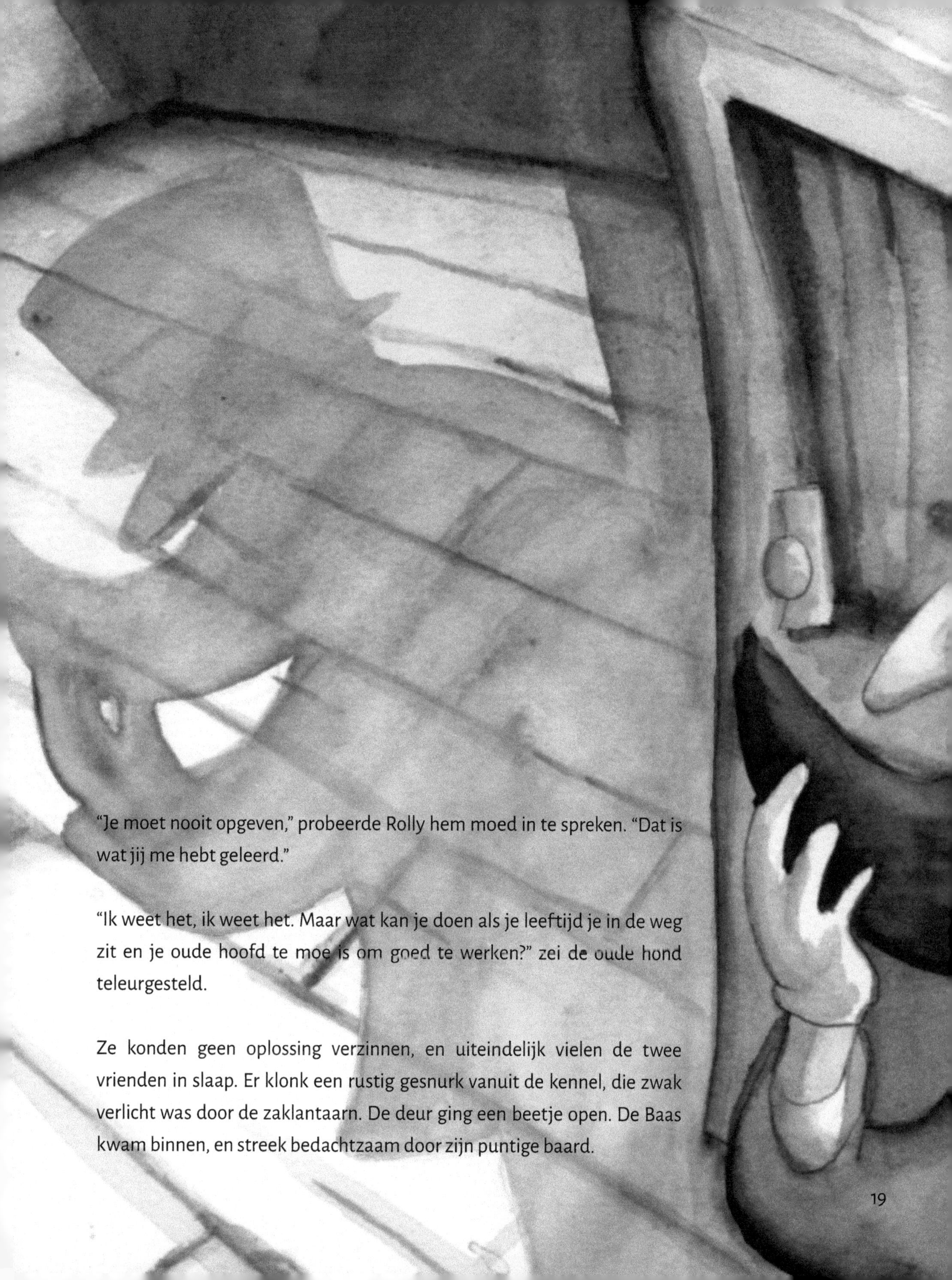

“Je moet nooit opgeven,” probeerde Rolly hem moed in te spreken. “Dat is wat jij me hebt geleerd.”

“Ik weet het, ik weet het. Maar wat kan je doen als je leeftijd je in de weg zit en je oude hoofd te moe is om goed te werken?” zei de oude hond teleurgesteld.

Ze konden geen oplossing verzinnen, en uiteindelijk vielen de twee vrienden in slaap. Er klonk een rustig gesnurk vanuit de kennel, die zwak verlicht was door de zaklantaarn. De deur ging een beetje open. De Baas kwam binnen, en streek bedachtzaam door zijn puntige baard.

Het circuspersoneel vierde kerstmis. In het midden van het veld hadden ze een grote kerstboom neergezet en versierd met lange, kleurrijke lichtsnoeren. Er werd gezongen en er waren spelletjes, en ook waren er heerlijke kerstmaaltijden. De dieren die bij het circus hoorden kregen ook een feestelijker maal dan gewoonlijk.

Rosco had geen eetlust. Hij had net gehoord dat er een nieuw nummer zou worden geïntroduceerd tijdens de feestelijke afsluiting. Rolly zou debuteren in de hoofdrol van het hondennummer. Rosco had slechts een rol als assistent.

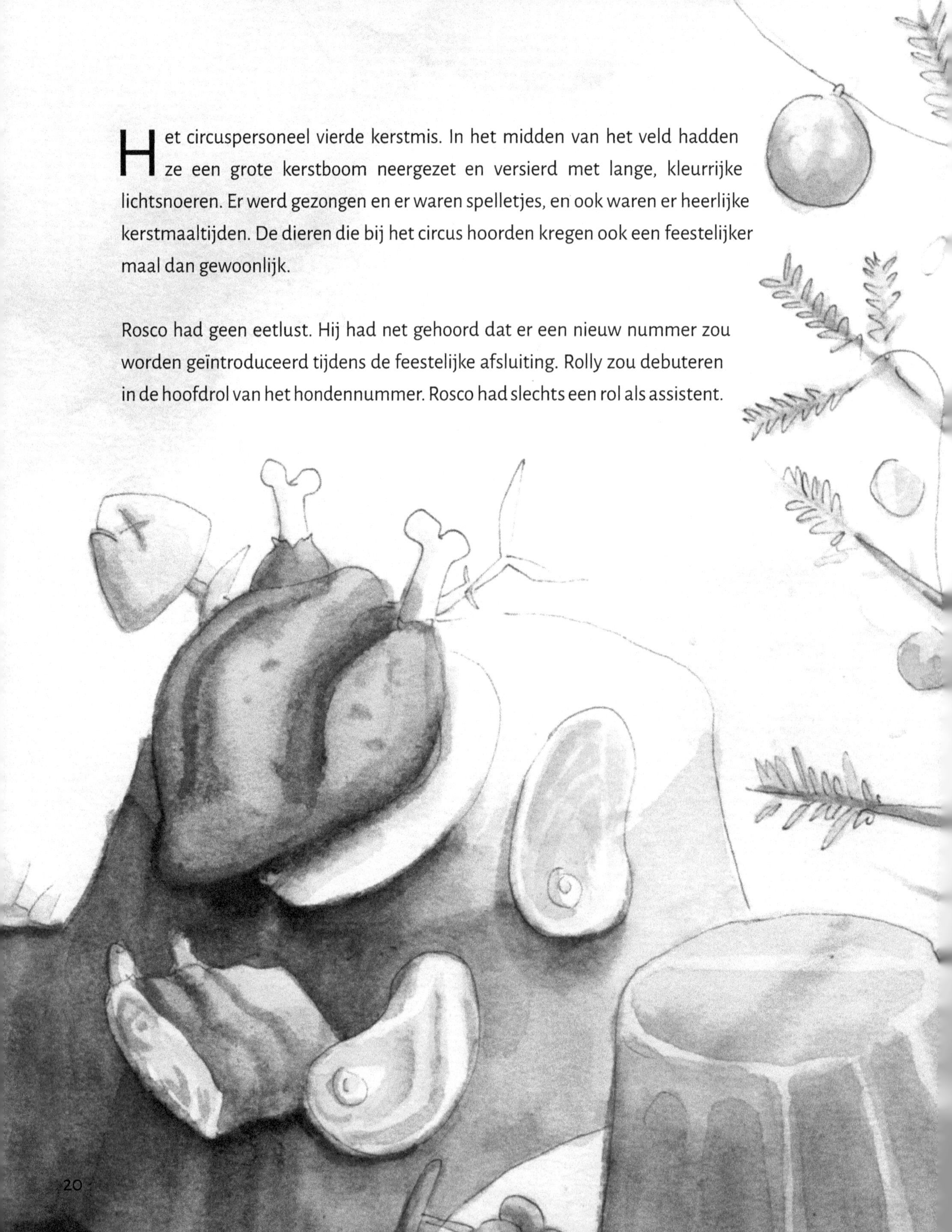

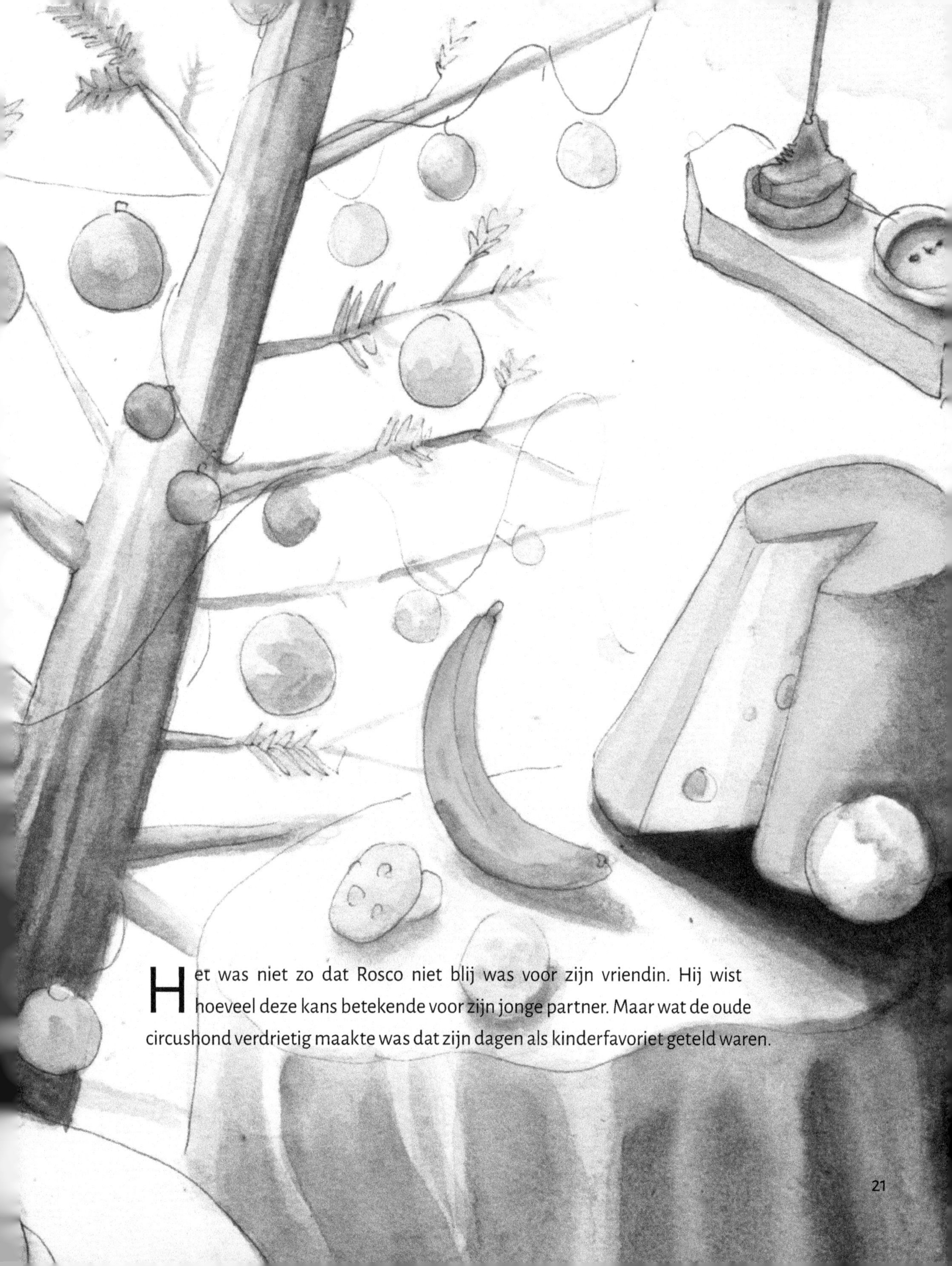

Het was niet zo dat Rosco niet blij was voor zijn vriendin. Hij wist hoeveel deze kans betekende voor zijn jonge partner. Maar wat de oude circushond verdrietig maakte was dat zijn dagen als kinderfavoriet geteld waren.

De feestshow was grootser dan ooit tevoren. Schreeuwen van geluk waren te horen. De kinderen juichten en klapten van opwinding. Zelfs de volwassenen voelden zich weer jong bij het bewonderen van de ongelooflijke stunts van de artiesten.

Rolly, de nieuwe ster, koesterde de aandacht. De jonge puppy genoot van ieder moment. Tevreden keek de oude Rosco naar het optreden van zijn leerling. Ze bracht het er zeer goed vanaf. Rolly had duidelijk haar roeping gevonden.

Toen de show ten einde kwam, gebeurde er iets onverwachts. Een angstige vrouw rende naar de arena en vroeg de Baas te spreken.

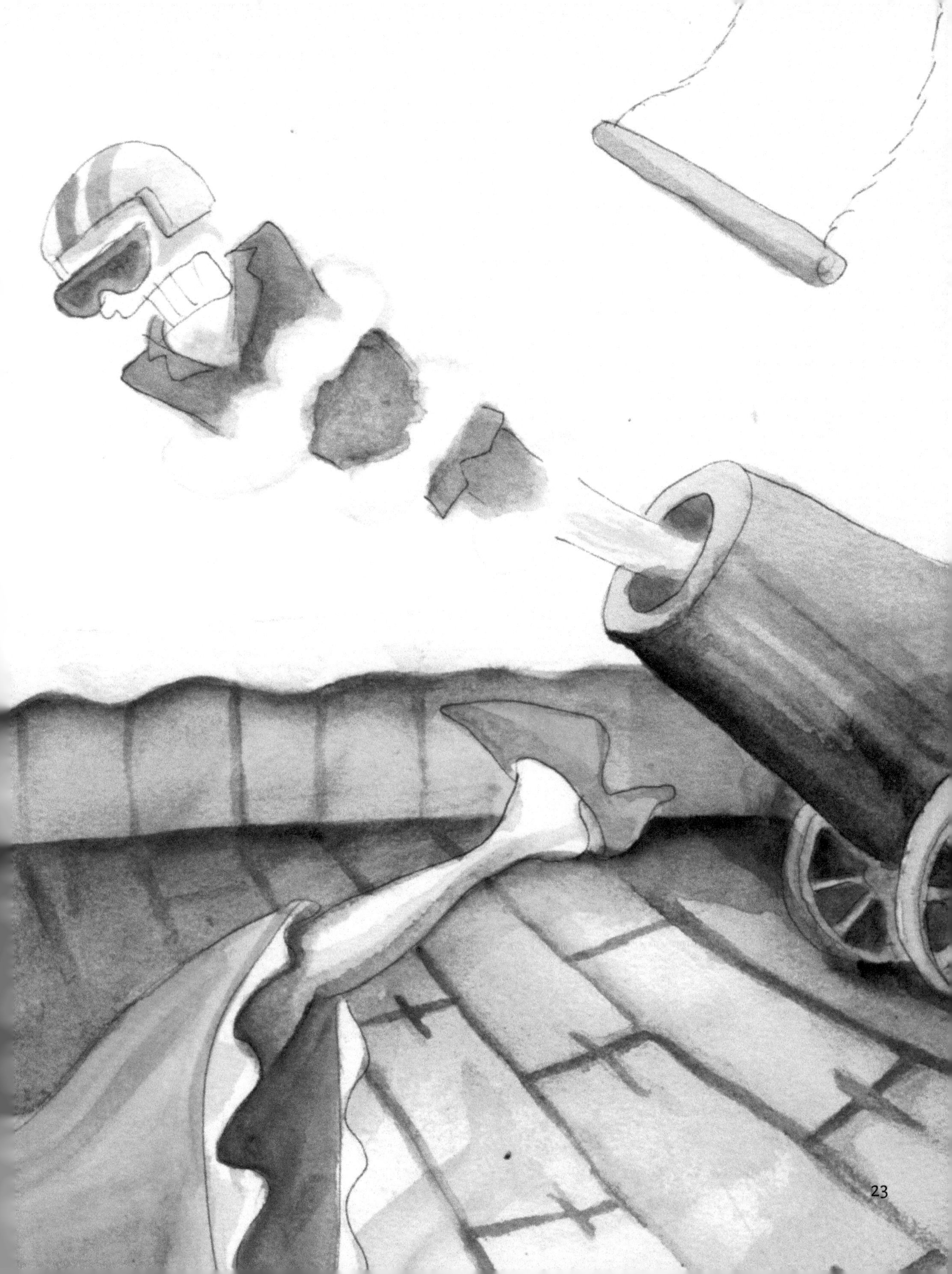

Het publiek viel stil. De Baas schraapte zijn keel en pakte de microfoon.

"Lieve vrienden. We hebben uw hulp nodig," zei hij met een serieus gezicht. "De dochter van deze dame wordt vermist. We moeten allemaal gaan zoeken."

De tent was gevuld met geluid en ophef. Het publiek stond op om naar het vermiste kind te gaan zoeken. Ze liepen heen en weer, overal naartoe, naar binnen en naar buiten. Ze deden hun best, maar er was geen spoor van het kind.

De bange moeder doorkruiste het veld en rende een aantal keer om de tent heen. Toen barstte ze in tranen uit en drukte haar wangen tegen het speelgoedkonijn van haar kindje.

Oude Rosco liep stil op de huilende vrouw af. Voorzichtig legde hij zijn kop op de knie van de bezorgde moeder en zat een aantal minuten onbeweeglijk. De vrouw aaide hem stil over zijn rug.

Rosco keek naar het zachte, versleten knuffeldier. Het was duidelijk de favoriet van het kind. De stof was beschadigd en één oog ontbrak. Het rook naar de kleine wegloper, en de gevoelige neus van Rosco pikte de geur op.

Vastberaden liep Rosco door de rennende menigte. Hij wist waar hij naartoe moest. Met zijn neus tegen de grond snuffelde hij. De geur van het kind werd af en toe sterker en zwakker tussen de andere geuren van het circus.

Hij liet de tent en de menigte achter zich. Rosco ging door, en kwam aan bij de poort van het circus. Het neonbord knipperde langzaam in de donkerwordende nacht. Het kaartverkoophokje was leeg en er was niemand. Toch was Rosco er zeker van dat het kind hier in de buurt was. De geur was onmiskenbaar.

Steeds weer liep de hond om het kaartverkoophokje heen. De deur was dicht. Na een tijdje ging Rosco er rechtop tegenaan staan en duwde de deurklink naar beneden. Op een bankje in de hoek van het hokje lag een klein kind te slapen.

De kleine werd wakker van het geluid dat de deur maakte toen hij openging. Eerst schrok ze van de hond. Het kind was stiekem ervandoor gegaan en was toen verdwaald. Ze was op het neonlicht afgelopen, had het hokje gevonden en zich per ongeluk binnen opgesloten.

De lieve Rosco slaagde erin het kind te kalmeren. Hij vond een jas die achtergelaten was door de kaartjesverkoper en legde die over de kleine wegloper. Toen ging hij naar buiten en begon hard te blaffen. Hij stopte niet voordat de zoekende mensen hem hoorden.

De moeder en de Baas waren de eerste die aankwamen bij de poort. De vreugde en opluchting waren overweldigend toen de moeder haar kleine meid weer in de armen nam. Rosco keek naar hen en voelde zich blij.

“Bedankt, trouwe hond,” zuchtte de moeder en aaide Rosco. “Je bent een ware held. Dit circus kan trots op je zijn.”

“Dat zijn we,” zei de Baas tevreden. “Ik kan je verzekeren dat er voor Rosco, onze held, altijd een plek is in het circus. De kinderen hebben hem nodig.”

Rosco was blij, en zijn vriendin Rolly ook. Ze zaten naast elkaar bij de poort en keken naar de vertrekkende menigte.

De vrienden waren dolgelukkig dat ze samen konen blijven werken in het circus. Er was genoeg te doen voor Rosco. Met zo'n goed ontwikkeld reukvermogen kon hij allerlei leuke problemen oplossen en het publiek versteld doen staan.

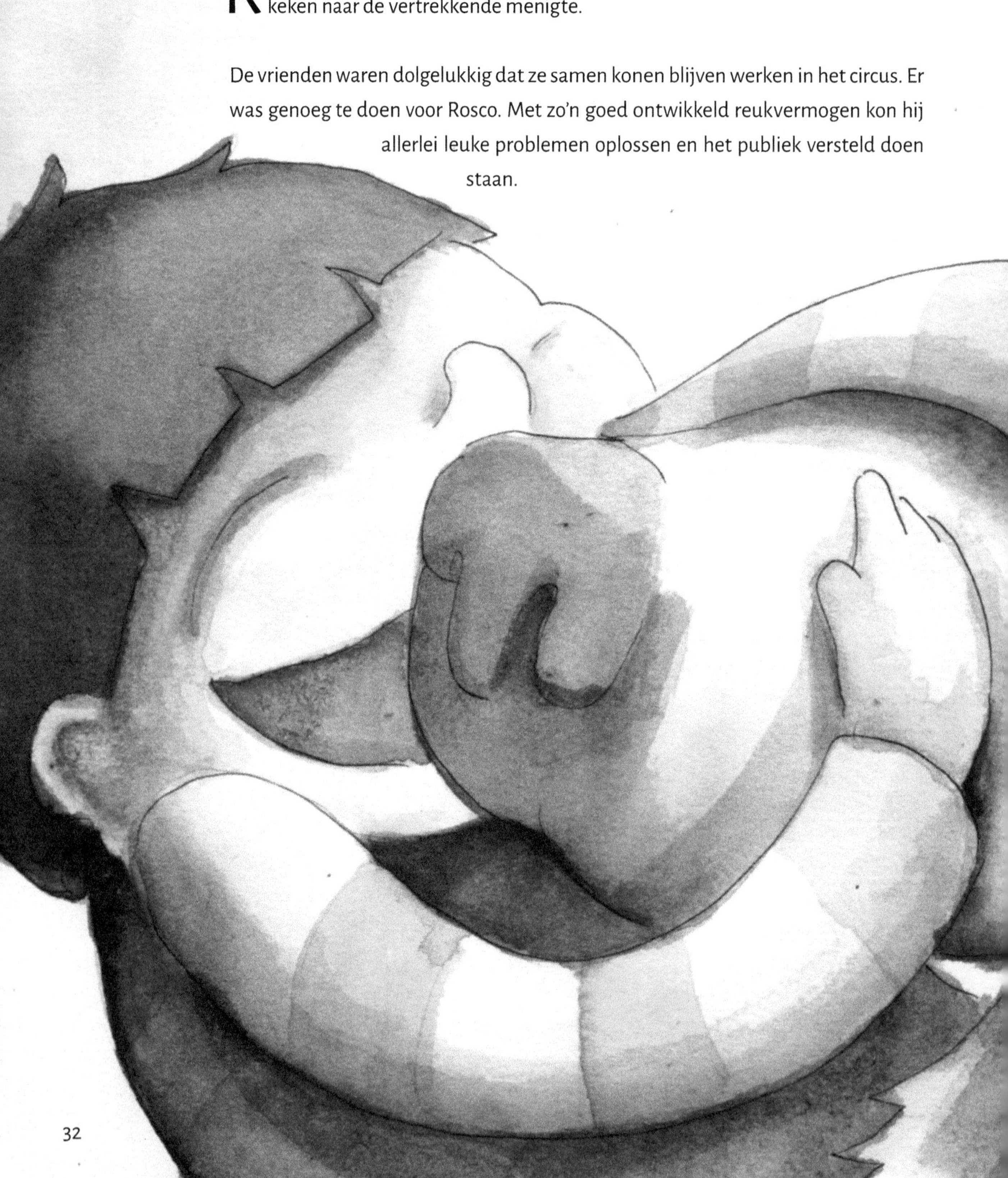

Leeftijd had Rosco's zicht verzwakt, maar zijn reuk was nog steeds zo goed als altijd. De geur van een kind vooral was iets dat hij nooit zou vergeten. Ongeacht hoe oud hij zou worden.

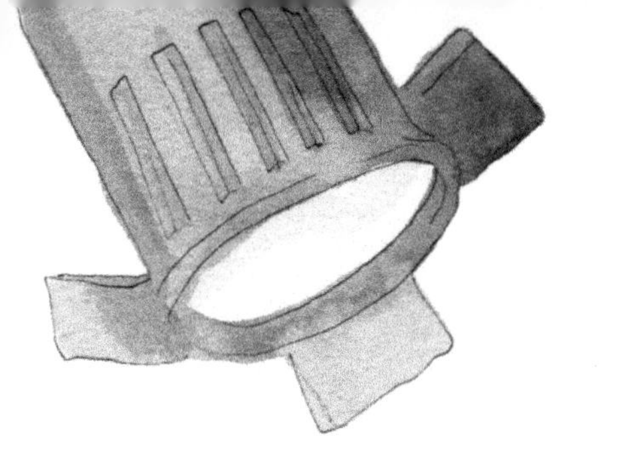

CPSIA information can be obtained
at www.ICGtesting.com
Printed in the USA
LVHW072059110821
695091LV00015B/460